U0064655

劉福春・李怡 主編

民國文學珍稀文獻集成

第四輯

新詩舊集影印叢編　第123冊

【長虹卷】

給———

上海：光華書局 1927 年 9 月初版

高長虹 著

獻給自然的女兒

上海：泰東圖書局 1928 年 1 月初版

高長虹 著

花木蘭文化事業有限公司

國家圖書館出版品預行編目資料

給——／獻給自然的女兒 高長虹 著 -- 初版 -- 新北市：花木蘭文
化事業有限公司，2023〔民 112〕

102 面／88 面；19×26 公分

（民國文學珍稀文獻集成・第四輯・新詩舊集影印叢編　第 123 冊）

ISBN 978-626-344-144-6（全套：精裝）

831.8　　　　　　　　　　　　　　　　　　111021633

ISBN-978-626-344-144-6

9 786263 441446

民國文學珍稀文獻集成・第四輯・新詩舊集影印叢編（121-160 冊）
第 123 冊

給——
獻給自然的女兒

著　　　者	高長虹	
主　　　編	劉福春、李怡	
企　　　劃	四川大學中國詩歌研究院	
	四川大學大文學學派	
總　編　輯	杜潔祥	
副總編輯	楊嘉樂	
編輯主任	許郁翎	
編　　　輯	張雅淋、潘玟靜　美術編輯　陳逸婷	
出　　　版	花木蘭文化事業有限公司	
發 行 人	高小娟	
聯絡地址	235 新北市中和區中安街七二號十三樓	
	電話：02-2923-1455／傳真：02-2923-1452	
網　　　址	http://www.huamulan.tw 信箱 service@huamulans.com	
印　　　刷	普羅文化出版廣告事業	
初　　　版	2023 年 3 月	
定　　　價	第四輯 121-160 冊（精裝）新台幣 100,000 元	版權所有・請勿翻印

給——

高長虹 著

光華書局（上海）一九二七年九月初版。原書三十二開。

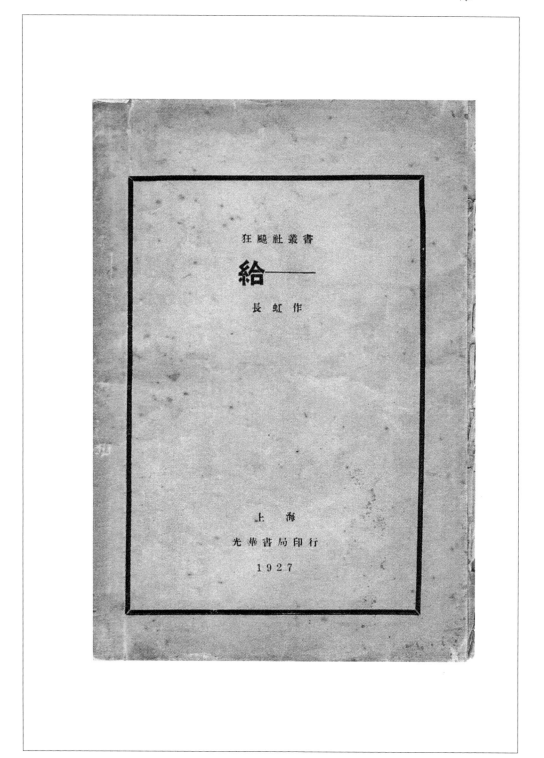

狂飈社叢書

給——

長虹 作

上　海
光華書局印行
1927

狂 飆 社 叢 書 第 三

第 六 種

給————

高 長 虹 作

上 海 四 馬 路

光 華 書 局 印 行

1927

高長虹作 : 給——

1927 年 9 月 初 版

版權所有實價三角半

寫給"給——"

兩年來寫的戀愛詩，大抵都收集在這裏了。

沒有比戀愛更為契合於藝術的。戀愛的本身不已是藝術嗎?經濟產生爭鬥，而戀愛產生詩歌。藝術需要戀愛化，而經濟却需要藝術化。

美是什麼?愛的對象而已!沒有利害的打算，你去愛她，她便是美!還沒有趕得及打算，你已愛她了，她便是美!詩的形成，是愛與美的證明。

還有人不相信一面之緣是會發生戀愛的；然有些戀愛却是發生於見面之前。也有久已熟識的，而無意中的一言一動綫喚起了戀愛。牠是自然的，仍讓牠自然好了。不必以人間的規矩去管轄牠。牠不是政治，也不同於交易。

當我凝想的時候，一個人形出現了，就寫她在我的詩裏。這一首詩不同於別一首詩，因為這一個人不同於

— 1 —

別一個人。如其缺乏了其中的一人；我的這本詩集便不會這樣完全。如有人能夠從某一首詩還原到某一個人時，超越的讀者呀！

然而，牠的範圍逐漸擴大了。我初寫的時候，還只爲一事一物。後來，那些不屬於通常所叫做戀愛的，我也都寫了。而且牠們完成了戀愛。所以牠們也仍然是戀愛。因爲戀愛的範圍擴大，所以詩謌的範圍也隨着擴大了。

我稱之爲戀愛的華嚴吧！

不到十年以來，青年們大抵都知道了戀愛；而且學戀愛了。可惜這件事情是能夠影射，而不能夠傳授。藝術的功用，是在使牠的領會者不學而能。戀愛坐了賊船，快要落水了。救之者是藝術。而又有人想並藝術而規諫之。然而藝術的形式是詩歌。

藝術將與經濟調協呢，將與爭鬥呢？不，藝術決不與什麼爭鬥！與藝術珍觸了的，是無等差。藝術救了戀愛。而經濟也坐了賊船，快要落水了。藝術且將去救經濟。如何去救？是：以無等差救之。

將由戀愛而渡到經濟。"經濟人們"便不能擴大了

—— 2 ——

馳的範圍嗎?經濟便不能夠產生藝術嗎?經濟便不能形成詩歌嗎?經濟便將止於是一個背景,而不是本身;止於是一個驅策,而不是一個契合嗎?經濟便沒有無等差嗎?

給——出版了!讓我去完成經濟的華嚴吧!

19, 6, 1927。

請允許了我的要求: 不要忘記這詩的作者是一個過着最近似孤獨生活的人。其實詩的語言也已經宣布過了。但詩比語言,是更容易引人誤解的。

因此,這本詩集,還說不得是完全的戀歌。別一個新建築,已在"獻給自然的女兒"的題目下去開始,去完成了。而且,戀愛也是沒有止境的。

作者不知道什麼叫做精神的美,物質的美。光就美的本身說,牠已是無界限的了。

縈心於嫉妬與患得患失的人, 不能夠享受戀愛的幸福。把戀愛當做個人的私產,所以戀愛死了。戀愛是自由的,天真的,不能夠被任何事物所束縛。

任情而動:行其所不能不行,止其所不得不止。一切的價值,都生於無私。

—— 3 ——

有一些人，將在我的詩中看見她的最眞實的面目。她也許會驚訝於那些她所未曾自覺的美，而起遐想。可是我已經走過去了。連我都不能忘情。然而人間是很廣闊的，我不能停在牠的一角。過去的成績止於如此。如其她是一個超於得失之外的人，則她也不會有太多的遺憾。況且她也已有所得了，而大路又還在前邊。

但我願意這卷詩的讀者，忘其形跡，而存其藝術。我願意他假定自己便是這些詩的作者；她呢，像在傾聽着她的愛人的戀歌。願天下有情人都聯合在這卷詩集的前面！

人常把戀愛比做海，錯了！海之大者曰洋。比做水；而又有冰洋。冰獨非戀愛嗎？冰洋獨非大於海嗎？山獨非戀愛嗎？日月星辰獨非戀愛嗎？

什麽是戀愛呢？戀愛是自然。戀愛共通於自然的全體同牠的每一部分。

沒有戀愛的人，是生活的殘廢者。

到了每一個人的衣囊裏都有一冊戀歌的時候，性的黃金時代便來了。

救治兩性間的醜惡和差異，沒有再比戀愛的藝術更為有效的。真正的科學也能夠。政治呢，則常有其志而無其力。教育也適得其反。

然而又談何容易！或者，戀愛之在今日，也將成為貴族的嗎？

但是，青年都將向這裏走來了。給他們唱歌，並且引出他們自己的歌子，一齊唱着向這裏走來！

登上性生活的高峯！躊躇滿志，再跨到別的高峯去！
我們的陷阱太多了！不進則退，且將與走肉同歸！

是永久的呢？是變遷的呢？是專一的呢？是普遍的呢？這些都不是應有的問題。重要的是：戀愛，而且去戀愛！"自然"將有最滿意的解答！

小主觀的判決有什麼用處呢？計算的被採用於戀愛時，則戀愛將終於商業化了。

真理是相對的，而戀愛也是！

話沒有說完的時候，就此中止了。

再為讀者誦一曲古歌，算是臨別贈言吧：——

得戀安知非禍？

失戀安知非福?

戀於得失之外,

一切福中最福!

20, 6, 1927, 長虹。

給——

1

我曾經一次看見你，
在弟弟的夢中
雖然是邂逅相遇呵，
却好像我們是久已熟識的人。

你穿着一件粉紅衫，
你跑着在我的前面，
微風吹起了你的衣襟，
你的衣襟呵，像蝴蝶兒飛出花間。

你大概是十六七歲吧，
但這有什麼要緊，
你是超出了時間的限制的，

—— 1 ——

時間在你呵，永久是青春。

是一個初春的晚上，
我們跑着在田地裏，
這是多麼輕軟的田地呵，
因爲牠開拓在弟弟的夢裏。

我們踏着弟弟的夢跑着，
我們忘記了幸福，忘記了自己，
我們自己的幸福呵，
躲在弟弟的心中，幾作了頌祝的禱語。

我們雖僅只一次的相遇，
但我們的幸福呵，却永久在生存，
因爲我們生存在弟弟的夢裏，
幸福在我們呵，是一個永久的夢。

2

你的眼，卑怯如小羊，
你的手，嬌弱如白蓮，

你的脚步，如蝴蝶臨風而翩躚，
從你那如水嗚咽的音波裏，
我聽出你說不出的幽怨，
我讀盡你全篇的歷史，
在我初見你的那一瞥時間。

3

我躺在我的夢中，
雖然是疲倦了，
却正在準備一次的遠行。

我曾經遠行過，在我的夢中，
但我已經疲倦了，
我要走出了我的夢。

我在等候着我的伴侶，
如何一個偉大的伴侶呵，
將要證明給我以夢的奧義。

如何一次急切的遠行呵，

我已經疲倦在等候中，
因為我所等候的呵，是我的夢中的人。

我們將要走出了我們的夢，
出現到眞實的世界上，
或者，我們將要把世界呵，運到我們的夢上。

但我已經疲倦了，在我的等候中，
因為我的等候呵，仍然在我的夢中，
因為我已經疲倦了我的夢。

4

太陽從你的面頰上溜過時，
留下了一滴紅的光波，
牠忘形地跳躍着，
如紅蓮浮遊於水上，
你的膚紋裏透着白光，
牠像在銀宇中滿足地酣眠，
牠像小兒臥在搖牀裏，
太陽的光在你的頰上找到了牠的宿舍，

你撫育着牠使牠永久鮮艷如初開的薔薇。

當太陽再從你頰上經過時，
牠將要吻着你的頰，歌頌道：
"你最愛者呵，我愛你如愛我自己！"
那時我便會推開了牠，斥道：
"這時我昏醉時誤噴的一滴酒痕！"

微風藏在你的眼眶裏，
夏夜解醉的微風。
我心已醉，
被愛抑是被憎？
你的眼珠亭亭地立着，
在牠的屏風裏，
不笑不言，
無情地望着我，
微風倚在牠的身後。
我叫着，
醉的心沈在我的叫中，
哀求滾出了我的唇邊。
你開始笑了，但像是得意，

— 5 —

你的眼睛却一閃都不曾轉動．

你是來自天上，
你是生在水邊？
都不是的！
你是我心上迸出的一顆血球，
而創造成自己的生命．
那時我的心便開始了不可忍耐的劇痛，
我像中彈的獅子般狂吼，
劇痛永久存在我心上，
如你的生命存在人間．
吼聲已漸衰弱，
我忘記了去赴我的行程，
因我的心已經破碎，
"回來呵，我自己！"
我只剩有我的最後的聲音．

5

你的那一滴眼淚，
當我走的時候，

躍動在你眼裏的，
我已經取了出來，
藏在我的心裏。

當我做夢時，
我常取出牠來，
放在我的眼前，
我輕輕地吻着，
不讓牠受一點驚動。

我常看見你，
站在這一滴眼淚上，
我在旁邊裝着沒事似的坐着喝酒，
你的頭髮散亂着，
眼淚在你的眼中開着花。

我要保存着這一滴眼淚，
在我的心未曾毀滅之前，
我有你的心在我的心裏，
我保存着你的心，
別離時你給我的苦痛的贈禮。

——— 7 ———

6

那時間，

你立在海濱，

伴着你的只有你自己的影，

海水在你的面前展着碧鏡，

海潮欲起未起地在你的腳下蜂擁，

白雲從你的腋下升起，

在你的頭上譜出了花紋，

珍珠似的雨瀰降在海上，

海水上遊起的浪花映在你的眼中，

你的眼中流出珍珠似的淚

瀰在地下連你的影都顫動。

那時間，

我立在山上，

我守候着我的小羊，

海風從遠處向我送來，

挾着酸苦的喟嘆，

小羊咩咩地叫着，

從牠的小身軀上滾下了寒戰，
我跟着小羊的眼光望去，
我所看見的只是我自己的意象，
海風從我的心底詳咩地叫出，
我攜着我的小羊走下山巔。

那時間，
太陽從海上上升，
我們立在太陽的光中，
伴着我們的有我們的小羊，
海草在牠的面前展着碧鏡，
紅雲從你的頰上升起，
變成快樂的影在天際飛行，
太陽像火箭般射着，
一粒粒的浪花都在顫動，
海潮沸騰在我們的心底，
金色的世界映在我們的眼中。

7

當你的眼睛看着我的時候，

我變成一隻小船，
飄浮在碧綠的海上，
四周醞釀着潮濕的空氣，
上面展開着鮮明的青天。

當你的頭髮披散在我的臉上的時候，
我覺着有無數的蚰蜒，
鑽進了我的每一條血管，
吸吮着，吸吮着，
我的血液都麇集到你的頂尖。

當你的唇吻觸到我的頰上的時候，
好像有許多音浪，
滴在琴的絃上，
由你心到我心，
飛流着說不出的心曲。

當你的雙乳伏在我的胸上的時候，
我像是一個遠行的孤客，
失迷在幽默的深山，
前後突起的峯頭，

—— 10 ——

擋住我來時的路徑。

當你的手挽着我的手的時候，
世界整個地陳列在我們的面前，
呈獻着許多不同的道路，
走呵！走呵！
都在叫喊着要我們自由地走去。

當你的眼淚流在我的手上的時候，
我的手變成一朵鮮花，
上面品結着從自然的心中滲出的露珠，
我便像一隻蜂兒，
把牠們一滴一滴地飲盡。

當你的心兒跳動的時候，
我便睡在你的心上，
我像是跪在自然的面前，
從牠自己的嘴裏，
我聽見了一切的祕密。

當你的身體擁抱着我的身體的時候，

我們便變成了一個單純的整個，

也沒有你，

也沒有我，

戀愛的母親撫拍着她的新生的孩兒。

8

當我們擁抱着的時候，

我們都假裝着是在歡樂，

但那誠實的心呵，

却知道爲我們悲戚。

我們藏起了眼淚，

而各各呈獻出我們的接吻，

但我們接吻的味是苦的，

因爲牠裏邊藏着的呵，也仍然是淚痕。

我們的身體是那樣冰冷，

我們原只是呵，兩個死人，

所不同的呵，便是我知道我是已在死滅，

你還在迷戀着死滅的生存。

你厭惡那燈的光明，
因爲那灼灼的鬼眼呵，可以照出了我們的屍身。
你懼怕一點輕微的笑聲，
因爲我們是偷活在呵，那些生人的屋中。

我們也曾酩酊過嗎？
但我們酩酊在呵，是乾燥的酒裏。
我們也曾流出過熱的汗嗎？
但這汗汁呵，是罪惡的穢水。

旁面睡着我們的孩子，
不知道爲着什麽呵，忽然又在啼哭，
我們是如何卑怯呵，
我們有淚却不敢流出！

但當那一刹那歡娛的時候，
如有一隻飛來的斧頭呵，劈開了我們的心，
則我們立刻會從迷惘中跳了出來，
便立刻會有銀灰色的淤積呵，從中噴湧。

9

那一個夜裏，
我從你的門前過去，
你的門關閉着，
像一個墓道。

但我沒有說話，
我只靜靜地望着那門，
我靜靜地走了過去，
怕驚了你的夢。

黑暗蹲着在我的前面，
我靜靜地走進牠裏邊，
我只留下這一點靜默，
在你的門上。

明早你醒來時，
你會立在那裏，
沒有形也沒有影，

—— 14 ——

你不會知道昨夜的祕密。

但我像遺失了什麼，
在你的門外，
當我走入一個遠的距離時，
我像一個迷途的燕子飛出了天界

於是你的影便給我出現了，
那是我只見過一次的影，
那是永久的，新鮮的，
甚似太陽，甚似我自己的心。

她是那樣的美，
但我不敢把她同你對照，
雖然她已脫離了空間，
但她囘到空間便會變了。

我於是停住我的脚步，
我已忘記了我那時要去何處，
我默默地對着你的影，
我不需要更多的言語。

——— 15 ———

她便開始移動了，
她到處便開闢了一條道路，
發着金色的閃閃的光，
牠指給我一個思想的途徑。

我於是走進了你的小房，
你默默地睡着像一彎新生的月亮，
但我並沒有驚異，
因為這個倒像是我所應當。

你的影便消失了，
你的睫毛便開始跳動了三次，
那時便一切都明白了，
因為我的幻想正在那裏接吻了三次。

那時便一切都明白了，
我立刻孤身走出你的屋門，
留着你的影在你的身邊，
因為隨着我的已有她的主人。

— 16 —

我靜靜地從你的門前過去，
也沒有說話也沒有望，
我只默想着你做的夢：
　一彎新生的月亮照在你的眼上。

那個夢也許會忘記，
當你明早立在你的門前時候，
但我那時又要從那裏經過了，
你會知道我們那時會變成什麼人兒。

10

在空的靈處，
有一片隙地，
曾有一無名的過客，
在那里種滿了絕滅之花。

但到那花開放時，
過客已不知何處去了，
在春來的第一個秒鐘，她開放，
她是那樣紅，像人心又像血的心。
　　　　　　　　——十——

當我醉臥在樓頂時，
我常想像着一個奇異的探訪，
如其你願意呵，
我們一同到那塊地方。

在我們兩個的面前，
那一片隙地上，
紅的花開放了，
她像人心又像血的心。

11

讓我放我的心在你的脚下，
當你厭煩地在開始移動着時，
我便會變做一個敗家子，
從他的坍塌的房中跑出。

你的睫毛在你的眼上怒竪鱗鱗，
你的眼皮高聳着像在追慕着天空，
便在那無言的恐怖時代，我的愛呵．

讓我用最高的崇拜呵，接吻你的眼睛。

在煩惱的雲中，我鎮靜着，
那時你在睡眠，或者尚未出現，
我怕驚動了你，我防範着，
一個不規則的最小的聲張。

我生長在荒漠中的深山，
你生長在海洋下的幽淵，
但當我向着無涯在空望時，
我的愛呵，你便盈盈地走到我的眼邊。

在那想像的塔與塔間，
我建築起一座長橋，
當貓頭鷹在唱出牠的夜曲時，
我便要經過那里呵，拜訪你的香巢。

再沒有更好的厚意，
像你所用以對待我的，
你雖然拒絕我的身的登門，
但你不拒絕我的心的入室。

—— 19 ——

當我走進--個傳奇的世界時，
我夢見我在抱蛇而眠，
當我的充滿了毒液的血管又清醒時，
我的愛呵，我一千次在頌祝你的神感。

被棄的落葉飛舞在秋的空中，
去完成牠的華美的一生，
你便是那個偏私的自然，我的愛呵，
我便是那個自然的愛寵。

墓塚裏我將要留下我的榮名，
我的殘餘在那裏將你靜等，
一個信譽者將要走來，
她奠我以她的空白的酒罇。

12

在你的淺碧色的眼中，
我看見我的悲哀的全面，
沒有隙縫，

沒有波浪，
牠那樣穩定地躺着，
在我的心上。

從我的窗開處，
你偷擲進你的望眼，
沒有移動，
沒有聲喚，
"休驚動了你呵，"
我是那樣想。

13

當我外去的時候，
向我的棺材的停放處，
你只要哟一下你的嘴唇，
無論你的距離是多麼遠近，
我便會聽見你在說：
"這是應該的。"
從我的死骸中；
那時，我將向你祝道：

"哦，我的救主！"

在被遺棄的牀上，
連睡眠都已逃避，
只有白癡的夜在伴着我，
蚊子盤旋在週遭，
在那些美的讚歌的上面，
我看見你往日的幻影，
從我的迷惘中，
那時，我曾向你祝道：
"哦，我的救主！"

14

"待我二年，
不來而後嫁！"
愛呵──
你可允許我嗎？

這是一個遠的行程，
我也許遺失了一切，

在這個徒然的跋跉中，
也許是一個壯麗的長征，
我將要奪囘那無上的榮名，
但是，這些呵，——
我都在為着你。
"待我二年，
不來而後嫁！"
愛呵——
你可允許我嗎？

東村裏有一個富商，
他有富的誘惑如他的富的家當，
有魔鬼做他的使者，
在偵察我的脚同你的眼，
在我走後的第三天，
一個求婚者便要來了，
幸運將要投奔你的門上，
但是，"待我二年，
不來而後嫁！"
愛呵——
你可允許我嗎？

西村的那一個蕩子，

生他的母親便是一個狐狸，

他有男子的殷勤與女子的柔媚，

當我每一次在路上遇見他時，

他無一次不顯示我他的妬嫉，

在鬼知道的一個時候他要來了，

那時你也許會忘記了我並忘了你自己，

但是，"待我二年，

不來而後嫁！"

愛呵——

你可允許我嗎？

15

一個華美的夢，

我常抱着在心的深處，

怕的是些微的損傷，

我願牠做成個永久的祕密。

當遊人來到我心上的時候，

我將給他打開所有的門戶,

任他擲一朵鮮花或一塊石子別去;

但那個地方,他休息一瞥的窺伺。

只有在無人的時候,

我才展開牠在我的面,

一個華美的世界——

我與你在分享呵,而且獨佔。

我們站着在上的頂尖,

我們伸手時摩撫着雲端,

但這些,我們都厭倦了,

還不如我們且屈膝傾談。

從那個華美的夢中,

當我們在傾談時,

一個華美的人出來了,

他像是一切呵,又像是我自己!

16

在柔軟的微風上，
響出你的嘲笑來，
我靜默地聽着，
水在幽咽，
天在和穆，
樹在傷懷。

是那樣鋒利，
牠刺傷了我的心，
我靜默地想着，
是牠的殘忍，
是我的報酬，
是你的饋贈？

從怨毒的來處，
你囘過你的臉龐，
我靜默地望着，
嘴兒輕佻，
眉兒響鬆，
眼兒飄颺。

—— 26 ——

被眷戀的夕陽，
攜去了你的影身，
我靜默地躺着，
一時的懊惱，
過去的頌祝，
末來的憧憬。

17

在一個小湖的邊上，
有一所紅樓挺立在她的艷陽光裏，
中有一人呵——她的真正的主人，
傾倚在梯傍洗衣。
路人從那里經過時，
他們的眼睛都移向樓的深處。

湖水淨如銀絲，
當微風從上面蹓過時，
似有人在絮語，
密密的絮語呵，

你們是在樓中，還眞在湖裏？

一個遠方的遊人來了，
他帶着記憶與悲楚，
所有的塵世他都已看過了，
連一點黑的影子都沒有留在他的心裏，
他最後來拜訪這個小湖，
他的脚步迤邐地走入他的心之所注。

湖水是這樣的黯淡呵，
是一幅他的天然的畫圖，
仍然是衆水中之一滴，
他的眼睛在酸痛了，
但他已沒有一滴眼淚。

在焦燥的搜尋中，
他窰見了那一座小樓，
像朝日的半面初出在海上，
像紅裙的燕子蹁躚着飛下山陬，
像他華美的少年時代呵，
二次又出現在他的生命的盡頭。

—— 28 ——

只是 一刹那的時間，
遊客已變成廊上客了，
主婦坐着在他的對面，
生與死的分離呵，
他不能夠相信這是一個異的會見。

她仍然是那樣窈窕，
雖然她的眉尖像已老了，
她的眼珠仍是同樣的明透，
有她的少年情影在中長留，
她的語言像珠玉沈入水中，
正是從前那一副神異的嘴唇。

她的頭髮在雲端聳起，
太陽從他的疲倦的征途之中，
常歇息在牠的蔭裏，
她的頰上開放着海棠嫩紅，
微笑時像朵朵花瓣散落在波心。

—— 29 ——

她的指頭觸着他的指頭的時候，
他像沈醉在冰與烟裏，
血液汜濫着他的全身，
牠們忘記了牠們的道路，
像他在倦臥在蓮花的舟上，
當她的脚尖觸着他的脚尖。

‘‘這不是天上的神仙美眷，
是我與你邂逅在人間，
我初見你是在那銀灰色的夢裏，
淒迷的月下，
紫色丁香樹傍。

在林木深處踟躕着，
我像一隻迷路的羊，
我的眼睛裏閃耀着無光，
一切都像要沈淪了，
後跟着我的脚步踟躕着，
只有無所知等着在我的前面。

誰是我的主？

請你降臨我呵！
無所屬的我將屬於那個？
樹梢上並且看不見一隻鬼眼，
被遺棄的我的心呵，你將飛向何處？

那是一個什麼的神異呵，
便在那死的時間，
空中振盪的似有天使的翅膀，
悲哀的月亮似乎在笑了，
墟墓間充滿了春的呼吸，
蝙蝙的你呵，從我的空望處走出。

你走到我的身傍，
我那時斜倚着丁香樹枝，
幸福的驚恐癱軟了我的四肢，
我一時變成了無體的雲煙，
溶消在月的色與花的香裡。

白色的淡霧覆蓋在路上，
有一簇濃霧從中湧現，
皎潔與芬芳交流着聚會在那里，

—— 31 ——

周女子的形相，
的秘意你開始移動，
勺波影你留任那氤盒中間。

中醒來，
\更深的夢裏，
2了那華美的目前，
艮在沈醉，
一千次的讚美呵，一切都是神異！

弓你選定了駐節地，
i驚寵的眼睛使我癡迷，
i見我的驊貴的影子，
i史，超出了想像，
g開拓到頂點，
!呵，我看見你的矜貴的題句。

;戀呵，
.走出在你的面前，
枯朽的繩索，
膩垢的布片，

—— 32 ——

只有在無表示中表示出我的沈默。

你於是在笑了、
你的笑給我以太陽的光熱，
月的虛弱的波浪開始跳動，
像要吞沒了美又吐出了美，
從那時你給了我一個永久的定形，
儲存在我的多變的心裏。

於是，一切便都消滅了，
像紅雲消滅給海上的晚風，
像偉大的理想消滅給夜的陰影，
你歸去了，在你的上面的世界，
留在這里呵，我度我的凡生。

這已是許多年的陳跡，
一去不復返呵，
我該向何處找尋！
我曾入過深山，訪過白雲，
我曾走遍了天涯，
但天涯並沒有你的蹤影。

—— 33 ——

了，那不是一個夢！

下面，你聽我的行蹤！

一個城裏，我與你比隣，

上，你從我的門前過去，

眼前的一切都在朝霞中顫動。

巳走遠了，

似的再沒有囘望，

我的房中時，

成了晚上，

個不醒的夢，

常立着呵，在我的面前。

起，我便再沒有看見你，

躱在遠方，

次我從墳墓裏囘來，

見你的一個影呵，

時，牠早巳化作無色的輕煙。”

像那無色的輕煙，

—— 34 ——

他正像坐着在煙的裏面，
所有的歷史都隨着形骸飛去，
只剩着她的聲音呵，在空中流漾，
又像是他剛從她的門前過去，
他們正是呵，第一次相見。

所有的夢都消逝了，
他們正是初次呵，相遇在人間，
她是一個美妙的少女，
他是一個壯健的青年，
新的世界呵，徐徐地在向他們開展。

18

我曾看見過朝雲，
但現在呵，天已黃昏，
如我能從白地歸來時，
愛呵！我可能重投入你的懷中？

愛，我的朝雲呵！
你們都那里去了？

夕陽下晚風倦了，
你藏在那里呵，我的少小！

從天的初啓的一角，
你伸出你的那一雙白手，
我，一個未出土的小芽，
愛的你呵，輕輕地把牠來掩護。

朝雲掩抱着天邊，
你的手掩抱着在我的心上，
少小的清晨呵！
一切都活潑與新鮮。

從夢中走出時，
我仰望着蔚藍的天，
走入你的懷中時，
我仰望着你的俊俏的慧眼。

天，我的，你的眼呵！
你們便長此閉休了嗎？
烏雲中尚且有閃電在迸流呵，

—— 36 ——

我們的烏雲呵，便長此閉休了嗎?

你的處女的胸懷呵!
春天的純潔與夏天的溫熱呵!
但現在已是嚴冬了,
衰老者呵!瑟縮的戰慄呵!

已逝的流水呵!
已逝的年華!
如我能從白地歸來時,
愛呵,我可能重投入你的懷中嗎?

流水呵溶溶,
我的鬢邊呵,笑語風生,
當我坐在你的膝上時,
流水呵,在我的鬢邊溶溶。

小舟呵輕倩,
那時呵我已看見過海洋,
汹湧的白波久已停息了,
舟子呵,你飄流到了何方?

— 27 —

又像是洪水氾濫，
你的接吻呵，氾濫着在我的唇邊，
當我倚在你的胸前時，
洪水呵，在我的唇邊氾濫。

洪水久已在停息了，
但我還沒有走到白地，
便是我如從白地歸來時，
愛呵！我能否再看見你？

我有時伏着窗沿，
玻璃中我望着你的倩影，
一個透明的影呵，
在薄冰上輕輕地移動。

你於是進來了，
我開始給你唱歌，
你爲什麼喜歡牠們呵？
可惜我那時未曾問過！

— 38 —

我只知道儘情地唱呵，
因爲只有那是我的所能，
可是你也未曾問過我那一個祕密，
我在唱着呵，爲--個女神！

是一個女神，
或者是一個妖精？
是我在故事中聽來的那個，
一個狐仙變成的美人。

我還有什麼疑惑，
你是那樣相像？
狐仙變不過她的尾巴，
一條長辮呵，常拖着在你的肩上。

那是一個神仙世界吧，
我那時曾經住過在裏邊，
我在被一個神仙愛了，
我自己如何能不是個神仙？

時光都已消逝了，

只剩着無絃在我的口唇，
時光雖已消逝了
無絃上我收積着不逝的聲音。

我能唱更美更美的歌，
天使們聽了也休想贊和，
但是美人兒早已消逝了，
默默的歌者呵！他還唱給誰個？

天地便長此閉休了嗎，
沒有人也沒有聲音？
但如我能從白地歸來時，
"親愛的姐姐呀！"我能否再這樣叫你一聲？

你的身段細而長，
像柳枝垂在湖邊，
微風在枝上瑟瑟地移動時，
輕捷的你呵，像一條白蛇溜過了草上，

但如在炎熱的夏午時，
清涼的陰影便遮蔽着我，

—— 40 ——

飛鳶在空中畫着牠期待的圜，
你之外，可憐的小雞呵，向那里藏躲？

我正是一隻可憐的小雞，
陰影變做了翅膀把我遮蔽，
但你爲什麽不讓我招呼牠們同來呵，
那些流浪的小雞們，正都是我的弟弟？

所有的色澤都殘穢了，
只剩有蒼灰呵，暮景依徒，
但如我從白地歸來時，
我可能二次變做個小兒？

是呵，我正是一隻小雞在你的懷中流浪，
陰影中響動處投下了一頭飛鳶，
牠吃盡了我的血，吃盡了我的肉，
被遺棄的骸骨，便永留在天邊。

昏醉呵，我已曾昏醉過了，
昏醉在太早的太濃的酒裏，
清醒呵，我也曾清醒過了，

—— 41 ——

清醒時，我自己正像是--雙空杯。

從暮雲深處，我望着我的家鄉，
家鄉中能否有朝雲飛來，
如我能從白地再歸來時，
親愛的姐姐呵！我可能投入你處女的胸懷？

19

我散步，
在橋邊，
在傍晚的秋天。

向着遠處，
我沈想，
向蟬聲迷失在的那邊。

金色的水波，
金色的夕陽，
金色的華裝。

金色的蟬聲顫動着，

響了入水中，
又響入天上。

在沈想的水面下，
你的名字，
你的容顏，——

我沈想，
想入了水中，
又想入天上。

20

我們躺着在草上，
我摘了一支綠葉拈在你的胸前，
須臾呵變了，
我看見一條花蛇蟠在你的身上。

墓塚淒清，
石碑上刻着你的芳名。
須臾呵變了，

我面前走出了一個美人。

白雲深鎖，
山頭上失陷了你我，
須臾呵變了，
白雲在你我的頭上深鎖。

人影遙遙，
我望着人影緊跑，
須臾呵變了，
背後傳來了你的竊笑。

21

你從墓塚下出來，
你立在墓塚上，
你的衣裝，
你的容顏，
蒼白——
哦，死的蒼白。

你從墓塚上走下，
你立在我的面前，
你的呼吸，
你的語言，
蒼白——
哦，死的蒼白。

我問你生前的歷史，
我問你死後的應驗，
你的回想，
你的遺忘，
蒼白——
哦，死的蒼白。

我們偎偎在夜的懷中，
夜照臨在我們的身上，
你的溫存，
你的繾綣，
蒼白——
哦，死的蒼白。

—— 45 ——

你又走囘了墓塚，
塚墓合抱在你的頭上，
你的相思，
你的留戀，
蒼白──
哦，死的蒼白。

22

如其我是一條毒蛇，
我醉臥在草底，
我將盼人過來呢，
還是怕人過去？

如其我是黑夜時，
我也許渴望光明，
如其我是太陽時，
我將嫉妬那夜裏的星星。

但是，讓那星星呵，
留給夜間，

我是要去了，
再見呵，明天！

再見呵，明天，
再見呵，什麼地方？
月兒西下，
月兒仍會東上。

但是，月兒東上，
月兒又西去。
我看得見她，
她却看不見你。

讓飛來的流泉，
掛在飛來的峯巔，
我將騎火龍呵，
遠渡重洋，

五月裏，
蓮花開放，
五月裏，

我與你初次相見。

五月裏,
蓮花的生日,
你的生日呵,
是五月初七。

折下一枝,
我放在案頭,
那一枝呢,
在何處?

如其你住岸北,
我住岸南,
我們雖不同住呵,
却可以遙遙相望。

如其你住岸東,
我住岸西,
在那橋的中央呵,
我們還可以相遇。

—— 48 ——

但是，一座橋呵，
牠仍有兩端·
你走向西時，
我却走到東邊。

如其我遊天邊，
你游海上，
天沒有盡頭，
海是一個圓。

惟一的星呵，
我的星！
你羅曼的彗呵，
星的星！

彗星遠離地球，
她厭惡那地球，
太陽向她求愛時，
她又嫌太陽保守。

— 49 —

我愛夜游，
我又愛遠行，
黑的長途呵，
暫明的燈！

23

一個似曾相識的影子，
我在車中望見，
我不知道她是什麼名字，
但我知道她所從來的那個地方，
因此我便愛她了，
愛她——能在這裏遇見。

我愛那淺藍色的布衫，
愛那暗黑色的頭髮與暗黑色的的襯裳，
愛那灰白色的淡雅的面龐。
愛那放大的女孩皮鞋套在她的脚上，
這些都是過去的幻夢了，
却不道又能在這裏遇見。

—— 50 ——

我搜索着她的行徑，
我探問着她的靈魂，
她像是覺到了，
她遞給我一個背影
但當我放下了擾亂的心時，
她的眼呵，又向着我這裏回䐂。

我於是看出了她的伴侶，
一個中年男人與一個鄉婦，
她是一個遠方的歸客，
歸來，從她孤獨的夢裏，
一個偉大的寂寞的夢呵，
我正在等候着那裏的消息。

我也有我的侶伴，
是一些偉大寂寞的篇章，
牠擠着在我的身傍，
於是她從我面前走過去又走回來了，
她假裝着冷靜的模樣，
一個光榮的名字却早在她的心裏動轉。

—— 51 ——

這是一個神話的聚會呵，
我們在這裏相逢而且相識，
也不需要我再看她，她再看我，
我們已經相携着走進了一個去處，
直到我們的目的地達到時，
同行者呵再來分手。

同樣的聚會我們已有過三次，
一次在站前，一次是在湖上，
便成了永別了嗎，
第四次的聚會注定在何方？
桂花雖已消逝了，
菊花却猶自開放！

24

親愛的！
你需要什麼？
我沒有一粒燭夜的明星，
明星她高懸在天空。

親愛的！
你需要什麼？
我沒有一首催眠的兒歌，
兒歌你去要向你的婆婆。

親愛的！
你需要什麼？
我沒有一塊假的寶石，
我只有一個幻夢和一個邏輯。

親愛的！
你需要什麼？
我是一個貧窮的遊人，
我請贈給你我的貧窮。

少女們心願高奢，
老婦們也嗤笑着去也，
我只踟躕在路傍默想：
却不道遊人有一個世界。

——53——

25

我曾愛過一個中年的寡婦，

我愛她像愛一個少女，

我們相遇在途中，

我們相愛在草裏，

像一個新婚的少年，

我如癡似醉，

一天她在鏡傍對我說，

她的銀鬢上添了新絲

我懷着華美的好夢，

默誦着她的言語。

"這個故事便完了嗎?"

完了!牠正像這歌兒突然中止，

我們那時便成了永別，

在一個吵嚷後沈默的夜裏，

因爲她問我要一個丈夫，

我那裏去製造這一個名義，

我便被棄地走掉了，

我幾乎忘了我來時的原路。

—— 54 ——

你要問這個寡婦還生存着嗎？
她原只生存在我的夢裏。

26

天已夜了，
我躑躅在湖邊，
水中並且看不見一個孤影，
雲霧重裹，
月兒躲藏。

我從城中走來，
城中是一坐荒墳，
我只追求着一個肉體，
從市場我走到公園，
到處空空。

我在途中盤算，
像一個迷路的旅客，
暮色蒼茫，
蒼茫中可有露水的夫妻，

—— 55 ——

要我投宿？

酒館中坐着一個老嫗，
傍邊站一個姑娘斟酒，
我心裏叫一聲媽媽，
我進去在一傍坐下，
我想看一看這一個女流。

是什麼女流，
她纔是一個驚弓的鳥兒，
獵人來了，
"四兩白乾！"
她却早已飛去。

我空剩着這白乾四兩，
老嫗她緊着向我瞭眼，
如其我是她時呵，
或者她是姑娘，
唉，白乾甚似水淡！

老嫗從我身邊走了，

我跟在她的後面尋找，
一隙小巷，
兩灣泑水，
一坐破廟。

我又走了出來，
我走向湖邊，
湖邊那些洗衣婦呢，
連影也不見——
美人兒呵，請你囬轉！

美人兒是一個紫衣的形骸，
她從理髮店裏出來，
你叫我一聲愛人，
我便同你去來，
她纔連一眼也不睬。

她的髮辮隆腫，
她的臉兒是一個圓形，
她的裝束是夜與血的交融，
她的………

—— 57 ——

我無從看清。

我愛的正是這個，
一個圓形和一個臉蛋，
她那裏去了？
血已失縱，
我只剩着這一個黑夜。

天已夜了，
我腳蹋在橋上，
沒有一個夢也沒有一個星星，
我和夜碰衝着，
雨點滴着在我的唇邊。

27

夢醒時，
汽車過了，
把捉不住呵，
夢已飛掉。

意中人，
今天你又降臨，
又降臨呵，
你仍在夢中。

青春已去，
盛壯方待，
秋之夕呵，
心已多來。

我欲飛，
飛上天空，
雲鎖重重，
鎖住了我的游心。

游心飄蕩，
離不開她的脚邊，
活潑的小皮鞋呵，
也像你家姑娘。

秋江上，

我看見我的肖相，
不見愛人呵，
而今已像十年。

沈醉吧，
一杯杯的白乾，
沒有你時，
我喝不下咽。

歸來呵，
遠行的人，
夜已終了
明日的清晨。

28

我在天涯行走，
月兒向我點首，
我是白日的兒子，
月兒呵，請你住口。

—— 60 ——

我在天涯行走，
夜做了我的門徒，
月兒我交給他了，
我交給夜去消受。

夜是陰冷黑暗，
月兒逃出在白天，
只剩着今日的形骸，
失却了當年的風光。

我在天涯行走，
太陽是我的朋友，
月兒我交給他了，
帶她向夜歸去。

夜是陰冷黑暗，
他嫉妬那太陽，
太陽丟開他走了，
從此再未相見。

我在天涯行走，

—— 61 ——

月兒又向我點首，
我是白日的兒子，
月兒呵，請你住口。

29

我走遍了天涯，
遇不見一個可愛的女子，
自然而今銷沈，
羅曼斯也飛逝。

我厭惡綺羅，
天姬呵她何有於我，
我只愛一個白胖的身軀，
她生長在茶寮酒肆。

白雲掛起簾幕，
小山藏入深處，
藏得住她的面孔，
藏不住她的美麗。

小山斜倚在湖邊，
那裏有我的家鄉，
我是一個遊子，
家鄉遺失在山裏。

我遙望着白雲，
我想念着那人，
無處去結新歡，
且來重溫舊夢。

我想念的那人，
她是一個鄉下的婦人：
她是我的妻子，
我却是她的情人。

我們曾三年相親，
三年呵去何忽忽，
我是游雲離山，
她在山中無聞。

她本生在水邊，

水邊時她是一個姑娘，
她後移入山裏，
到山裏她變成了婆娘。

我本生在山裏，
但我却生性愛水，
我愛水邊的姑娘，
不愛山中的妻子。

我們也曾同眠，
同眠時我在想着狐仙，
我不敢吻她的白髮，
白髮下並且埋伏着冰霜。

白日裏我們便爭吵，
因爲一隻貓兒或一碗茶水，
爭吵罷又相對默然，
正像雲山相對着湖水。

我於是下山走了，
留着她在山中孤老，

—— 04 ——

從漂泊我走到漂泊，
我漂泊過波江漂泊到荒島。

荒島中四望蒼茫，
波濤還在我的血液中騰翻，
一個佳音告我，
雲間飛出了一隻小燕。

我循着小燕的歌音走去，
我像是從夢裏又走入夢裏，
有一個少婦在倚門遙望，
我纔知已囘到山中舊地。

"我想你已想了三年，
我的白髮上生了新光，
今天我初次心兒跳躍，
我知道愛我者今日囘轉。

你的行縱我已盡知，
人們說你已沈在海裏，
我相信着期望打斷了謠言，

—— 65 ——

期望牠終賜給我今日。"

我驚訝我是初次到水邊，
從前的妻子已變做姑娘，
從今後她便是我的情女，
她待我也如情女的情郎。

她的心兒像湖波鼓蕩，
我沈在那裏忘却了人間，
她的顰眉和她的笑眼，
陰晴我只從那裏佔算。

一雙魚兒游數在水中，
兩個小兒在後面游泳，
她若是魚兒我若是小兒，
小兒和魚兒匹配成婚姻。

淚眼瀅瀅，
她把酒送行，
"你再也不囘來了！"
我從此再沒有聽到她的聲音。

—— 66 ——

我是一個天涯的游子，

我沒有情人又失掉妻子，

我曾愛過水邊，

而今我却回戀着山裏。

游子把情歌唱了，

一曲情歌是一杯苦酒，

我也曾打聽過酒中的消息，

他們說："這一杯呵,祝你前程萬里!"

30

小燕兒穿着紅衫衫，

小燕兒呵新且鮮，

我雖是一隻白頭鳥，

白頭鳥是鳥中王。

你父把我像朋友待，

我待他如小丘待泰山，

我手採茵蔯醴碧酒，

— 67 —

碧酒我如見你的容顏。

自古詩人愛少女，
少女純眞與憨戲，
臭蟲咬破了嫩肉皮，
夜中學作小兒啼。

我如走入夢世界，
聽見你的哭聲憐且愛，
我如坐對一美人，
美人是天使也是我的心。

你父曾坐一儒官，
我父也曾坐知縣，
門當戶對我把你娶，
我是嬌壻你是好妻房。

十歲時你曾授紅樓夢，
五歲時我熟讀木蘭歌，
我愛你是奇女子，
你愛我是寶哥哥。

—— 68 ——

時代變了人的心，
美人而今又愛英雄，
你是今日的佐治桑，
我是今日的拿破崙。

我欲改變時代的心，
我要用利他代私爭，
你是今日蘇菲亞，
我是歌德與列寧。

丁香樹影移姍姍，
太陽照進我的房，
我是樹影在窗前待，
太陽同地球談家常。

我聽見你兩次低聲問，
那位可是高先生，
衰老的地球未聽眞，
但丁決定了我的運命。

美人兒從此歸他人，
一剎那的遺誤百世的心，
神曲我無心來續寫，
打疊起閒情我送行人。

第一次我走到火車站，
我手採石子置案上，
一粒石子是一顆星，
明星織成了錦繡天。

薄山鎮紙我送老父，
雪萊詩集我送姑娘，
留下傷情我自己來忍受，
默祝你父女幸且康。

綠衣女良掛案頭，
畫中的人兒夢裏的愁，
夢中我插翅飛上天，
再不見織女與牽牛。

二次我走到火車站，

—— 70 ——

送你父女歸家鄉，
無家無愛一游子，
從今永別地與天。

31

我與其藏在道士的袖中，
我寧可被藏在你的腋下，
愛呵，請贈我以你的溫美的情懷，
使我忘記了白日與黑夜。

失宿的旅客無處投奔，
店家都不留徒行的人，
但我攜帶着真理與美情，
愛呵，你可能贈給我惠顧三分？

荒涼的草野與荒涼的風、
荒風中可有春意蠢勳？
將死而不自知的小草呵，
牠猶自說我是個畸人！

天上只存着一朵，

一朵雲是一個天的瑞徵，

地下只存着一起途程，

一起途程呵，我何時纔能走盡？

真理不能醫治我的飢餓，

美的空杯呵，我何從醉酡，

倦了時我倒在路傍睡了，

空氣似水地地將我撫摩。

在夢中我無翅飛到天上，

我像曾從天上飛到人間，

一朵白雲呵將我來擁抱，

抱白雲我二次飛到人間。

夢醒時空剩着一片荒涼，

白雲也已在夢中消散，

夢醒時空剩着一身孤單，

一身孤單呵，還要我自己去當擔。

不愛天上，我只愛人間，

— 72 —

人間有我的囘憶與希望，
愛煩勞，我不愛淸閒，
叫呵，荒涼中我正可叫徹天邊。

地球牠也是不停地動轉，
太陽也不吝惜光的施散，
蘇醒者都將蘇醒在今天，
更無須遠溯未來與古往。

32

唉，小姑娘！
你長着奇異的翅膀。
飛呵，你飛到天邊！

唉，小姑娘！
你從荆棘中走來，
荆棘壓在你的背上。

唉，一個人形的甲蟲，
在風中旋滾，

—— 73 ——

唉，你也是人！

唉，一個天使，
你變做了女工，
你來救我們衆生！

我剛從士人的羣裏，
逃出在鄉間，
救我呵，唉，我的姑娘！

33

桂花兒開，
桂花兒罷，
桂花兒開罷了，
我纔轉回家。

我家在何處？
天盡頭，
地盡頭，
我家無盡頭。

—— 74 ——

我是一游蜂，
愛探花的心、
百花都探遍，
只有桂花無處尋。

飛上山之頂,
低首問白雲——
門前有丹桂,
五歲曾攀登。

貪愛世界苦,
忘却自己家,
十九離家走,
十載未還家。

中夜訪白露,
夜行何多露,
盈盈一小湖,
告我來時路。

—— 75 ——

小湖變女魔，
隔帳偷瞧我，
讓我坐你膝，
爲我唱離歌。

女魔變了臉，
蛇躍沒草間，
雷峯塔倒掉，
大地成空烟。

細雨落輕塵，
中夜我徒行，
出門作游子，
入門作家人。

入門作家人，
妻子屬他人，
桂花兒開罷了，
懊惱一游蜂。

— 76 —

34

你本是一朵鮮花，
你總未逢春與夏，
唉，秋風蕭瑟，
摧殘了你的枝葉。

你本是一朵鮮花，
嫩蕊未開早罷，
唉，秋風蕭瑟，
一朵鮮花呵變了落花。

你本是一朵鮮花，
我曾見細枝抽嫩芽，
唉秋風蕭瑟，
沒得救護呵我個春與夏。

你本是一朵鮮花，
來年還有春與夏，
唉，秋風蕭瑟，
來年呵，我候你在春風下。

85

正月裏，
梅花兒開，
春風吹送幽香來，
你在湖邊淘白米，
我在船上散孤懷。

船影移移接湖邊，
我是春陽落岸上，
照得你幌了眼，
抬頭看見我，
喜笑觸胸膛。

去年冬天曾相見，
冰心不把我來看，
時過日已晚，
而今我是漂泊者，
你做你的酒家娘。

36

一縷游絲，
在風中飄蕩，
雪似的白髮，
披在她的臉上。

地車不停地運轉，
風琴不斷地鳴彈，
我常看見她走來走去，
晚霞中或在朝陽初上。

一個老年的婦人，
一個瘋狂的婦人，
她有處女的清潔，
她有上帝的鎮靜。

她在萬目中走過，
不把一人來瞧盼，
她有她永恆的職業，
終日裏游蕩，游蕩。

她有豐富的家產，
她有媳婦與兒郎，
人們都說她病了，
看富貴如雲烟。

湖色的綢襖染上了灰黃，
灰黃的髮髻像雲中的月亮，
嘴裏吸着紙烟一捲，
驕傲地她端坐在洋車上。

我想起我老病的母親，
我想起我夭殤的女兒，
我想起我的姐姐與妹妹，
我想起古往今來的女人。

我每次看見了女人，
我便忘不了那人，
她是我們幸中的幸者，
她又是我們不幸中的不幸。

——— 80 ———

37

我愛的那個女人，
她現在還未降生，
她是我的愛人，
她也是未來的母親。

她在蠕動，
她像一個未成形的幼蟲，
一隻金色的飛蛾呵，
她現在已在蠕動。

她是我的愛人，
她也是你們的愛人，
我愛的那個女人，
她只存在在我心。

她是一個宇宙，
她是一個精靈，
唉，都不是的，
她呵，我也不知其名。

—— 81 ——

但是，我知道有她在舊，
而且她是我的生命，
我吸吮着她的香乳，
香乳呵，牠使我長生、

我坐在她的白玉的膝上，
我變做一隻小鳥爲她歌唱，
唉，是她爲我歌唱，
是歌唱牠自己在歌唱。

我爲她畫了一幅圖像，
她爲我寫了一行頌贊，
唉，畫贊有何用處，
她自己呵便是自畫自贊。

我愛的那個女人，
她是你們的母親，
她也是我的母親，
她將使我們呵復原爲人。

—— 82 ——

我們已經有過一個原始，
但牠總爲歷史所吞噬，
因此我們便須再生了，
我們將二次再去做小兒。

我們已經有過一個母親，
但她呵已歸墳塋，
我們是一些孤兒了，
我們需要再有一個母親。

我把她創造成了，
這是否是一個罪過，
她蠕動在我的心中，
明日呵她將是一隻飛蛾。

飛蛾在飛了，
天空變成了黃金，
搖狀代替了墳塋，
愛人也便是母親。

我團坐在天心默想，

—— 83 ——

獅子在我的脚下飛旋，
小兒在扳着地軸，
地球變做了一個搖牀。

我們原本是一家，
從天上直到地下，
自從那時分散後，
海洋便分出了浪花。

海洋上已有了火輪，
鳳凰是一顆紅心，
天胸上佩帶着寶星，
地皮上分割出煤層。

我們是她的愛人，
我們是我們的愛人，
嫉妬已被紳士們偷去，
我們只剩着我們的寬容。

我愛的那個女人，
她現在還未降生，

但我已不再愛她了，
我把她分贈給友朋。

我愛的那個女人，
她便是我自己，
她已存在在我的心中，
她將降生在我的詩裏。

<h2 style="text-align:center">38</h2>

一支雕翎怨篇，
射中了一隻小雕，
唉，愛呵！你的慘楚，
我的懊惱！

從你的心裏出來，
又向你的心裏歸去，
唉，愛呵！你的苦悶，
我的失意！

我是一個薄倖人，

—— 85 ——

為了你我願矢志終身，
唉，愛呵！你的詛咒，
我的寃情！

那是一個臭皮囊，
請你捨棄了吧，
唉，愛呵！我是一個詩人，
我說的是眞心話！

39

綠雲間，
飛着一雙孤燕，
羽衣蹁躚，
你是一隻呵，
唉，燕子呵，
你是一雙？

我也是一隻孤燕，
墮落在泥潭，
下不見地呵，

—— 86 ——

唉，泥潭呵，
我上不見天！

綠雲間，
飛着一雙孤燕，
羽衣斑爛，
你是一個龍女呵，
唉，燕子呵，
你是一個天仙？

我也是神之子，
游戲在人間，
覔不見愛者呵，
唉，人間呵，
我夜不見仙睿！

綠雲間，
飛着一雙孤燕，
羽衣彷徨，
你是要飛來呵，
唉，燕子呵，

—— 87 ——

你是要飛往？

我也是一個旅客，

棲遲在時間，

前不見未來呵，

唉，時間呵，

我後不見已往！

綠雲間，

飛着一雙孤燕，

羽衣悠揚，

你是在不動呵，

唉，燕子呵，

你是在動轉？

我也是一個不動的動轉，

永存在空間，

牠也在不動呵，

唉，空間呵，

牠也在動轉！

—— 88 ——

40

我愛你，
在我們初見的時候，
唉，可惜他呵，他呵，
他總是我的朋友！

我愛你，
是藝術的化身，
唉，我呵，我呵，
我正是藝術的情人！

我所愛的你呵，
你在玩着貝殼，
我沒有偷一隻囘來呵，
唉，手的乳白！

我說我是南方人，
最高的批評呵你的唇脣，
也有人說我是酋長的子孫，
唉，也罷呵，重瞳孤憤，帝子泣綠雲。

—— 89 ——

唉，好一張倩豔的小影，
美人兒呵纖手親贈，
自然寫就了自然美景，
掛着在，掛着在，唉，我的心中

你的髮兒呵，髮兒呵，
惹來了一雙蜜蜂，
唉，是波紋，還是湘雲，
唉，我的詩兒呵像蜂聲嗡嗡！

我幾次想向他哀求，
唉，你歸還了我吧，
她是我的，唉，我也是她的，
你呵，爲甚做情場的惡霸！

唉唉，我是個短命鬼，
唉唉，我是個負心人，
爲了一點點友誼，
唉唉，我犧牲了愛情。

—— 90 ——

蝶兒飛，蝶兒飛，
跳着小白脚兒的那是誰？
雙影入夢中，
醒來雙淚垂。

—— 91 ——

獻給自然的女兒

高長虹 著

泰東圖書局（上海）一九二八年一月初版。原書三十二開。

狂飆叢書第二

獻給自然的女兒

高長虹 作

上海泰東圖書局發行

狂飆叢書第二

第 三 種

獻給自然的女兒

獻給自然的女兒

獻給自然的女兒 　　　　　　　　　　　　　1

一個大圓，

無邊，却有限。

既已無邊，

何必又有限？

我立在地球的一點，

雖只是一點，

而也無邊，

而也有限。

我總只第三次游海上，

她已像我的老侶伴，

人生如斯，

年齡何短！

詩歌也貴神韻，

2   獻給自然的女兒

言有盡而意無窮，

意有盡而韻無窮，

與宇宙而永存。

我很悲哀我這次仍是獨行，

更怕獨行也永存；

我為海謳歌，

不聞海和鳴。

我往前行走，

烏煙落身後.

烏煙無處歸，

隨風打跟頭。

我也有來處，

我也有去處，

有限而無邊，

來去無停處。

我願住海上，

東來復西往，

也如東風吹到西，

西風又吹到東方。

但我不願東風壓倒西風，

也不願西風壓倒東風，

隨天象而自在轉移，

大家都是風。

船行也在一點下，

點與點不分家，

水深波浪闊，

水上胸襟壯大。

可讚美，人類的材能，

造船海上行！

我願造一隻人類船，

4　　　　　　　　　　　　　　　　獻給自然的女兒

通行海,陸,空!

兩岸林與田,

初入海時海水淺,

又復泥沙夾帶,

水穿着土的衣裳。

又復土化了我的想像,

也如在西山,

將以有待,

何必多瞞怨!

大沽口已在,

沽之哉,沽之哉,

獨駐大沽口,

玉人兒幾時來?

我也蕩然,

想到此去辦週刊，

奇蹟新發現，

名之曰自然。

只望你早來編撰，

別讓我一人當關，

更不要心已應允，

啟事袖底藏！

人間第一個週刊！

美而善，精采而普遍，

愛與宇宙初次的再現，

讓我最後一次來自畫自贊！

連思想，語言都不得自由，

須在不自由中尋自由，

而只主客一致總是眞自由，

也如我行海上，海上行舟。

6　　　　　　　　　　　　　　　獻給自然的女兒

可惜,可惜難語於人間!

性相近而習相遠,

千樣人竄有千樣人樣,

相遠而相離,不得相親善!

昨夜雨淋淋,

我在雨中獨行,

訪友遇而不遇,

友在而已入夢.

今早又不同見,

期待也徒然,

只有淋淋隔夜雨,

多情滴到明天.

我不特被愛情苦惱,

我也常被友情苦惱.

更無論乎人情,

苦惱時我常彈一曲將歸操。

大歸只有死，

而我非厭世；

將歸終未歸，

仍因戀人世。

一切都戀慕，

是生別離苦，

我復戀慕別離，

更戀慕了一切的痛苦。

我也更戀慕了家庭，

乃至戀慕了蛇蝎與蚊蠅，

我乃至說這一切，一切呵，

都是我的愛人！

愛中更別無仇恨，

8   獻給自然的女兒

我愛你們到終身，

愛到你們的終身，

乃至你們都報我以仇恨。

已是海上第二天，

我看見海的真面，

近水翻綠浪，

遠水不分霧與天。

醞釀美酒一天，

飲不盡,已醉我心靈，

醉了還飲,心沉入酒天，

赤如日,如日在天天爲滿。

綠浪平行而分衍，

白浪珠聯而遠颺，

而舒卷,如孔雀的長尾，

我最愛船尾的白浪.

霧散海分明，

日行至當中，

天與海，一線接引，

無端緒，只有稀少的浮雲。

我也愛浮雲，

也如愛海的千萬動，

也如愛海的千萬象，

而不失常態與平靜。

也如愛人的情懷，

雖時有雲翳遮蓋，

終歸一片青青，

形影無滯礙。

情懷如海！

大沒有邊界，

小沒有隙縫，

我從何處去來!

或許我將永在情懷外?

那我甯願忘掉那情懷!

如不能把我的身兒載,

一曲行潦非大海!

一隻鳥兒飛起,

我不知道她的名字,

忽然不見了,

飛入雲中去。

我爲鳥兒想,

人如一隻船,

也如我在人眼中,

只如幾塊洋。

無洋只得吃乾飯,

也免得菜色黃，

而今不比古往，

菜更貴於飯!

鳥飛着一個迴環的直線，

也如一個眞理，一個思想，

飛在人心靈，

變做心靈，又忽然不見。

而又有影身存在，

別一隻鳥兒又飛來，

我也常在夢中飛，

醒時夢已無形骸。

明波向着日翻騰，

浪飛不上波之頂，

日在波中映．

日波新成朗且潤。

12 　　　　　　　　　　　　獻給自然的女兒

潤且朗，

波浪中的波浪！

水中日，日中水，

海天的精華薈萃的一點！

使我贊歎，

贊而且歎，

又不願多言，

言多濃情淡。

但我如不言——

我又如何能不言！

言者心之聲

不言心兒悶倦！

從海上到上海，

我已二次來，

如不爲自己做些事兒，

我也太不知自愛!

我願終身自愛,

更甚於利己派,

愛己而後施諸人,

不再把自己忘懷。

半年來人事多變遷,

使我又已老年,

非老於天真,

而乃老於經驗。

經驗又不能長我世故,

而只長我懶散,

我又要懶而不散,

於是而我乃勤於自獻。

獻我給自然,

14   獻給自然的女兒

因我是自然的影象，

獻我以我所有的一切，

給自然 復歸本相。

我便是自然，

我包羅萬象，

我的懷裏抱着海與天，

波濤震霓兩乳間。

自然也有缺陷，

兩乳中一乳不常圓．

昨夜我也貪睡早，

未見月牙升海上。

波行浪花飛濺，

好個精緻的模樣，

還要我來裝點，

只怕我沒有那樣好文章。

巖石也沒有多遠,

世無仙山,

綠馬白鬃可願來渡我,

飛到巖下宿一晚。

傳說也與我作對頭,

成人不比小時候!

況且解人難索,

令我懷念那兩個老朋友。

寂寞了文字因緣,

一世幾人能對面,

笑而不言,

笑也有笑因緣!

雖然狂狷,

小子兮吾黨!

不知所以裁之,

裁之留遺恨!

求真實而走向誤謬,

不如任水自在流,

清兮濯纓濁濯足,

友誼得長久!

執柯以伐柯,

猶以為遠,

到上海我總走到安東,

也如人生的路綫。

我大笑仰天,

想起魯仲連,

他也又仰天大笑,

笑我同他一樣。

從中國到中國,

獻給自然的女兒　　　　　　　　　　　**17**

我路過朝鮮,

我不願說朝鮮是中國,

只是,笑也有笑因緣!

我巳行過朝鮮的海岸!

我也願小住在朝鮮,

假如我再有幾塊洋,

只是,唉,住沒有住的因緣!

四圍都是青山,

只缺少一個太平天下,

我雖不生在朝鮮,

朝鮮也是我的家。

願地球上每一個角落,

踏遍了我的足跡,

尤其在無意中相遇,

有意外的歡樂。

18　　　　　　　　　　　　　獻給自然的女兒

我已不是少年人，

不再知眼淚何用！

我只剩餘着太多的歡樂，

生命盡時歡樂還未盡！

現在呵，我在想着惠特曼，

我的行爲中有他的思想，

我不必再讀他的詩歌，

只恨我晚生數十年！

讀其文而不得見其人！

我願認識盡古今人，

尤其是那些生在將來的，

可是，時間呵，我被牠囚禁！

我也是歷史上的一個囚犯，

從某頁到某頁是我的房間，

我不能多聽一個人的聲音，

也不能多見一方寸的世面!

而我活着時候,

人們纔把我詛咒,

而我又不能攜去了所有,

留空名於死後!

已到了安東口岸,

聽說要停四五天,

裝貨是本色行當,

那怕人兒終老於此鄉。

我坐在船的頭頂,

纔聽見水聲,

遠近萬千水聲,

聲聲來相應。

那邊便是安東,

20 獻給自然的女兒

還隔着三十里路程,

過門不入,

恕我呵,我的芳鄰!

也不見一個異國的女郎,

我枉有這次的飄蕩,

心情實如此,

不是爲看女人纔坐船。

不如那個小村莊,

盡有我此時的所想,

滄海變桑田,

還保存着滄海的模樣。

爲了相親近,

我却走到遙遠,

遙遠中還得久停,

也如旅行的路綫。

我要到西湖去,

西湖儲存着我的好情緒,

我的心兒常在西湖,

死時,西湖是我的墓地。

而我却走到安東!

他日,我又將走到日本,

走到印度,意大利,埃及,

冰島,亞美利加,澳大利亞,廣東!

我或將走到海王星,天王星,

我恨不能走遍所有的星星!

我還不能盡知牠們的名字,

也如我不能數清我所有的血輪!

而我還需要什麼國家,

以及一個什麼世界!

我也不需要什麼天體,

那也只是宇宙中的一粒塵埃!

只有幾個朋友,

而仍不能相知,

不如舉目無親,

我獨游此異地。

相知真也太難!

須有相似的情感,

又須有相似的智慧,

又須有相似的經驗!

有的不相知而成爲朋友,

也有的相知而反成怨仇,

有的對面不相逢,

有的聞名若故舊。

俯仰宇宙,

人生於我何有!

我旣無所愧怍,

又復何求!

意氣也已消亡,

一草一木,

人與鳥獸,

隨所遇而俱安.

齊物而等觀,

那管人間恩怨,

善惡且不存在,

更何論乎褒貶!

洋灰筒筒,

豌豆袋袋!

上下交代,

主宰了人與時代!

工作多單調！

工人不怕煩勞，

猶自哼着歌兒，

猶自相視而笑。

這樣也許便要三四天，

一切都太相像！

我却爲何來，

不能早囘孤山！

而我却爲何來，

必須早囘孤山！

明日還須到江口，

江口還須停幾天！

地球只此一塊，

猶不知博愛，

而妄分畛畦，

此疆而彼界!

地球是最小的星星,

我纔偏在地球上生存,

而現在呢,又只生存在一隻船上,

猶不讓船自在行!

而現在呢,我生存在海上,

我生存在天上,

那兩個星兒可是我,

我的別名可是海王與天王?

天上沒有長虹星!

我久巳想學天文,

我要給與牠我的名字,

當我發見了那顆最大的星星!

天文,還有數理,物理,化學,生理,

26　　　　　　　　　獻給自然的女兒

我也想學生物 歷史 地理，

還有音樂,圖畫,雕刻 跳舞，

我想,我自己是一個文化的總匯!

聽着鐵與鐵相擊鳴，

我在思想中也曾做過工人，

我想獲得了所有的經驗，

我想從苦難中創造幸運!

而我終歸是衆人中的一人，

我永不矜功伐能，

而卑以自牧，

置毀譽於不問!

而我仍想做人類的良朋，

我想是一切女子的愛人，

老者安之,少者懷之，

一個敎育家,又是養老院中的差人!

死時候,而我又只想,

照像送入博物院,

著作藏在圖書館,

並願一切人都把我遺忘!

過去都是滑稽的材料,

昨日的我被我今日笑,

老時候也如小時候:

死人不如生人好!

而我不說,崇拜死人還不如崇拜生人,

試問,什麼是崇拜的自身!

何如合之則成民衆,

分之則一個人還他一個人!

欺心者內疚,

殺人者有罪!

成見與利害的衝突,

又不能應用於思想的分類!

雲影兒你將飛到那裏?

你飛到西北,

你飛到西方,

可能為我愛人兒帶一個信息?

我在開闢了一個新的世界,

美麗而且和諧,

而只為了愛人兒居住,

可能有鳳凰二次飛來?

我現在雖然飄流在荒海,

我的心情却仍然自在,

雖然東不見彼岸,

西也沒有故人招待!

如有人與我同行,

我何至如是輕身!

我從此將與羅曼斯永別,

步入現實的王宮!

都只因孤憤,

孤憤到而今,

如是栖栖,

栖栖了東西南北人!

羅曼斯也是一個古董,

只有現實常新,

要去現實中發見,

要在現實中完成!

而人們不懂,

難懂呵,這情緒的顫動.

神經過敏便過敏,

總強似感覺遲鈍!

30 　　　　　　　　　　　　 獻給自然的女兒

人只知事實是一個曲線，

而不知情緒有更多的波浪，

而猶拿事實來批評情緒，

也如拿繩尺來權量靈感！

可惜，唉，小知何用，

大愚反是聰明，

我雖也常輕視那聰明，

但我不敢輕視那聰明的感情！

我於是在友誼中求得隔膜，

在戀愛中求得怨憤，

在世界中求得寂寞，

在人生中求得苦痛！

我猶不願意多說我的苦痛，

怕的是於己無益，

於人反有損，

我只告人以那可有的幸運!

雨兒又下了一天!

旱是苦晴,

何為濕我的行裝,

巳是南方的氣象。

南方多雨,

北方多風,

風雨都愁人,

難得風調雨順!

我像一個公平的母地,

南方,北方,

都是我的愛子,

我何得歧視!

也如老少只是一個年齡,

老的也是人，

少的也是人，

何必妄分輕重!

噩夢不知做了多少，

醒來時纔都忘了，

我不願再在夢中演說，

只願意人們自己知道。

請，請不要相互利用，

便不會以爲人都在利用你們!

我便永遠詛咒這一個思想，

利用，利用，利用!

做了多少好夢，

一個也無存，

只有忙亂疲倦，

伴着我走出夢境。

今天還得停一天，

須待明天早上，

夜雨初晴，

天氣仍自淒涼。

三十年如一夢，

夢是眞而又非本眞！

至人無夢，

行爲與自然相應！

夢也是少年的華裝，

像一朵鮮花禁不得風霜，

禁得風霜年已老，

夢兒瓣瓣飛散。

自殺,發狂,頹廢,

幸喜我還强悍！

我握住了那最高的眞實,

34   獻給自然的女兒

也只爲禁得夢兒的欺騙!

半年來沒有說話,

我像是一個啞吧!

雖然學會了吃糖,

卻也忘記了吵架。

我不願像金人三緘,

反願說出所有的語言,

當無人可以對語時,

也常與流水談天。

談言微中,

亦可以解紛,

我看一語一意,

也如一個完成的作品。

一個創作從何時構思,

一個發明從何處啓示,

况復奇文共賞,疑義與析,

也是人生的樂事!

我已學會了幾種語言?

我的朋友都堆聚在何方?

願我的思想裝入各種的文字,

願所有的人類都常對面!

前日,昨日,今日,

安東,安東,安東!

工人們坐着小船去了,

我挾着滿心的冤苦相送.

他們都是朝鮮人,

明日個我也起程,

無物相贈與,

也做個秀才人情!

6   獻給自然的女兒

可是 我們也痛苦，

且常被同國人欺負，

而又同行相妬，

而又人與人相食甚於禽獸！

人類是一個模樣？

只有弱與强，

無分惡與善，

以相爭而相殺！

超人不可多得，

獻身於全人類的幸福，

工作於勞動,科學,藝術,

向着一個最高的理想而馳突

我願有一個超人的時代，

人類如兄弟，

地球一家,

取消了一切障礙!

三日的留滯,

去時反增我闊別情緒,

我臨着海兒灑了幾滴酒,

酒中也有人情寄。

海潮升漲,

甚似送我風一帆,

他日再從此處過,

我能否披露我的心腸?

他日又是那一天?

來路渺渺,

去路茫茫,

我又何從推算!

也如船上國事談，

"武昌公妻，

介石忠良，"

終隔着紙兒一張！

途中別久停，

久停忘行程！

不是大陸的特產，

海上也多風！

無風不起浪，

我雖生長在大陸，

也飽經了人生的波浪，

使我鬢兒斑！

早衰了少年！

歧路不必亡羊，

但直到而今、

我常走的是三角形的兩邊!

我不能夠達到我的理想,

從一條直線,

所以我畫了一個大圓,

我將停在圓的中心點!

進化無止境,

而人力有限,

一萬個跟頭,

打不出宇宙的手掌!

我的生命,

也如一陣狂風,

待到雨過天晴,

而我的生命已盡!

而我又須狂風中,

40 獻給自然的女兒

保存着那壯麗的人文,

我須在暴亂中保存着鎮靜,

我須保存着那和平的心境!

人間我:什麼是巫山!

我說:巫山在四川。

我答了又想:

巫山也在海上!

巫山十二峯,

我今登到第幾峯?

可是又有人間我:此地水多深?

水中有沒有神?

我說:水中那裏會有神!

可是我又想:是有神,

而且是一個女神,

而且,而且──是一個女神!

問者也自答其所問：

此地水無底深，

萬川朝會於海，

所以海底有神，名便叫海神！

我問他是那裏人，

想起莽原老鄉親，

我今已是出家人，

久與綠林無音信！

猶聽說：女人兮女人，

愛情兮愛情，

教授兮才子，

才子兮佳人！

古人說：神無在，無不在。

所以海中有山，

山中也有海，

42　　　　　　　　　　　　　獻給自然的女兒

而且有神,神是愛!

所以海有時在山,

山有時在海,

而又無乎不在,

而又無時不愛!

夜深水聲宏亮,

我通夜失眠,

牠叫了通夜,

叫得我肝腸斷!

飛洪擊船板,

可沒一滴濺到我身上!

我倒不怕淹沒了這個小房間,

也願在海中埋葬!

也願在愛中埋葬,

只是愛,她要我生還!

尋愛而得生,

愛也有愛因緣!

也曾有過一個女子罵我討厭,

也曾有,唉,女子也多輕狂!

雖然她仍在愛我或曾愛過,

唉,枉然,縱使再愛我十年!

沒有學會愛,

却早自誇經驗!

初次賣八卦,

早來在夫子門前!

說釀得美酒幾樽,

取時總沒有一滴飲!

天眞與尊嚴,

我願傳授了愛的四字經!

也有愛之璞，

玉在璞中藏，

不敢獻與人，

才美不自見！

人生的缺陷！

有大德而隱沒，

有小善而名揚，

有有因而無緣！

而也有美滿，

也有完全，

這些,我都已經驗，

而又不敢自謂已經驗！

虛懷若谷：

人生呵,你幾時總得充實！

不充實中去追求充實，

我又何敢在驕奢中自己滿足！

已是七日浪漫游，
明晚還停吳淞口。
怕此生不滿九十，
青春已到頭！

從清晨到清晨，
也不枉有此行！
也不枉有此生，
永久的青春！

現在也是清晨！
過去也是清晨，
未來也是，
一切都在清晨中

而且,清晨出太陽！

46 　　　　　　　　　獻給自然的女兒

　　我願一切人都像一顆太陽，

　　願一切人都愛讀我的週刊，

　　而且，讀時都一樣地心怡神曠！

　　而且，愛成癖，一讀而百讀不厭，

　　如工作，又如游賞，

　　又如看自己的臉面，

　　面不同而心同時看！

　　而心同時想，

　　聯綿一線！

　　而更忘其所想，

　　並忘其所看！

　　並忘了我的週刊！

　　只餘着自然、

　　人生，愛，眞與美，

　　以相補而遞禪！

獻給自然的女兒　　　　　　　　　　　　47

並願一切人都返於自然，

同歸於同源，

又像積陸成山，

衆水匯入海洋！

不再有我，你，他的區分，

也沒有她 牠，您，

也沒有國與種，

乃至於學派，主義，世紀，地與星！

也沒有理想或實行，

自足或運動，

嫉妬，偏愛，憎恨，

傲慢，驕矜，善惡，利與名！

我坐送夕陽出海外，

我想着一個新的時代將到來。

地球上的事物都變成常識，

48   獻給自然的女兒

學校建築在天文台！

只有空間，

沒有時間，

只有從此到彼，

沒有今來古往！

有已知與未知，

而沒有新舊！

遙望霞光一縷，

便是日落處.

陰雲割據了星的天，

也因我未曾早立雲頭上！

只餘依依兩顆星，

猶自繞日邊.

萬象入森羅，

獻給自然的女兒 　　　　　　49

海聲起夜歌，
船也笨而重，
爲我舞天魔！

汝旣爲我舞，
我亦爲汝歌！
我歌天上天，
汝亦魔中魔！

豈不愛我歌，
曲高人寡和！
同得一截路，
知汝世故多！

霞退日已遠，
新月雲中見，
意態淸且閒，
冉冉步幽光！

50　　　　　　　　　　　　　　　獻給自然的女兒

汝來何遲遲，

久待生疑畏！

為我一再彈，

逸興壯思飛！

去去不久停，

冷我夢中魂，

也如初相識，

交淺情未深！

不怕別離遠，

尋尋欲何之！

留得心音在，

天涯共此時！

不如不相見，

反悔夜眠遲！

眠遲眠不得，

輾轉費尋思!

不如早入夢,

雙雙戲海隅,

仰頭望明月,

低頭有汝俱!

天兒知人意,

馳也愁眉皺,

曉日深藏

雲霧鎖海周!

雨意悠悠,

欲落未落時候,

濕待夜晚,明早,

又要我雨中行走!

飲了幾口汾酒,

路到盡頭，

酒也飲最後，

又上心頭。

此後我想不舉杯，

只飲情中酒，

舉杯愁更愁，

情到清醇忘憂！

身又何有！

明晚我又宿何處？

灘上可還有夜游者，

誰可還是我的朋友！

霧兒越裹越厚，

分不出來去路，

風浪又如此

莫不破釜更沈舟？

一個濃白的屋頂，

小巧的冢形，

船兒籟簸着，

唉,在其中!

不能出去，

又不能停留，

無處藏躲，

又不能逃走!

上有覆蓋，

風浪又海底來，

汽笛嗚嗚，

叫斷了聲帶!

我登上船頭四望，

什麼都望不見，

他倆也茫然，

54　　　　　　　　獻給自然的女兒

又拿起千里眼!

誰能摘取一顆太陽,

掛在天中央!

我也是太陽,

只是,唉,而今不發光!

我願沈海西,

明早升海東!

我願霧上行,

不照霧中人!

我肚兒飢餓,

身兒困倦,

英雄氣短,

兒女情長!

縱然此地海水深,

也比不得我情兒一半!

縱然人都沈淪,

我的情兒無恙!

霧宿何處?

海沒有名字!

不如不近岸,

夜夜海中居!

不知明日事;

我忘却了一切的距離!

海也像做着夢兒,

精靈長相對!

276——1927上海

56　　　　　　　　　　獻給自然的女兒

（二）

已說不舉杯，

纔又日日醉！

你不在我身傍，

愛呵，除却酒鄉，

我該到那裏！

一走到街頭，

詩兒水樣流！

如必留些字痕，

愛呵，一起途程，

幾次停中路！

這兒中國地，

也像客中歸！

走遍兩地一方，

愛呵，無處尋訪，

遠人回未回？

人兒燕飛天，

花兒肉裏香！

都不得到心中，

愛呵，見景生情，

我在把誰想？

在時我假寐，

來時人已去！

借得荊州不還，

愛呵，往事般般，

可願從頭數！

涸了井底天，

繁星雲外懸！

新屋尚未落成，

愛呵，風雨飄零，

58 　　　　　　　　　　獻給自然的女兒

何處定前緣?

上海.

献給自然的女兒   59

（三）

愛呵,你要打點了!

你如不能保護我,

你便是不愛我,

而且,我將要——

唉 將要怎樣,

我如何能知道?

也曾有一個詩人

愛過了一個詩人,

讓我們是一個勃蘭霄,

而且我願意是一個居禮,

也願意是一個高德文,

可是,愛呵,你還須小心!

又何必假冒古人!

只讓我們是一雙兒童,

60	獻給自然的女兒

而有成人的本領，

所有的有本領的成人，

而又仍然是兒童，

有兒童的博愛與天眞!

可是,愛呵 你要打點了,

你還須小心了!

如你不能保護我,

人家將要——

唉,將要怎樣,

我如何能知道?

上海·

（四）

湖波是那樣盪漾，

在我的全身中盪漾，

血液的循環，

神經的震顫．

我沒有過這樣康健，

像一個宇宙．

我看見了我自己，

也便是看見了她，

遠別也如覿面．

你現在是在做着什麼，

我的愛呵，

你如何不說話？

62 　　　　　　　　　　　　獻給自然的女兒

音樂更好似言語，

我不需要去聽，

而巳全心領會．

她在說道：

我的愛人兒而今在那裏？

什麼時候總再得相會l

我自己沒有一定的地方．

當誰想我時，

我便在誰的面前！

或者我現在住在呵，

在那湖海之間！

唉,我住在湖心的一座樓上，

叢樹遮住我對面的小山！

樹葉迎風作濤語，

遮不住我心乘風的波浪!

波浪呵乘風,

爲我載一隻船兒,

我將遠行!

行行至遠道,

可還須繞一個灣兒,

送我到靑島!

風兒隨行,

浪兒暫別,

到那海濱的旅舍,

問今早可有個新來的游女

在這裏停歇?

便沒有工夫,

如何把幽會擔悞?

64   獻給自然的女兒

請告我一個信息，

我將再到別處！

心湖盪漾，

路兒還有多遠？

一樣的飄泊，

為甚又離散！

216

獻給自然的女兒   65

（五）

昨夜我夢見你。

在渺無蹤影了的早上，
我凝望着樹葉沈想，
牠應着我的心偷偷地跳動。

昨夜我夢見你。

一輛馬車從我的門前過去，
載去了你的父母兄弟，
在我的房裏只留下一個你。

昨夜我夢見你。

道路泥濘，
我們在城外攜着手兒走着，

66　　　　　　　　　　　　獻給自然的女兒

你忽然哭了,不知道爲了什麼.

昨夜我夢見你.

天也有天的眼淚,
地也有地的眼淚,
我只擔心着你的眼淚.

昨夜我夢見你。

小河自在流,
湖水因風皺,
我只在關心着你。

昨夜我夢見你。

適纔的知心語;——
我百般猜想,

也找不出一個緣故。

昨夜我夢見你。

我知道你在愛我，

尤其在這時候，

但是我不知道我該做什麼。

昨夜我夢見你。

雇一輛洋車好呢？

雇一輛馬車好呢？

我問：可否坐一輛洋車囘去？

昨夜我夢見你。

你的心情不自在，——

『當然坐一輛馬車！』

68   獻給自然的女兒

但我知道你這時更在愛着我.

昨夜我夢見你。

送你囘去了,
我到小舖裏買了一盒紙煙,
打開時我看見一封家信.

昨夜我夢見你。

因爲世界是大的,
而人想把牠縮小,
我又做了這個夢。

昨夜我夢見你。

醒來時我總像入了夢:
在大的世界中,

獻給自然的女兒　　　　　　　　　　　　69

我找不見我的小世界。

24，6，西湖。

70　　　　　　　　　獻給自然的女兒

（六）

世界是我們的：
我們的朋友，
我們的地球。

春爲我們而去，
夏爲我們而來，
永新，爲了我們，
這滿足的現在。

天北也是星星，
天南也是星星，
遙遙相望，
爲了我們。

深夜的繁音，
衆口同聲，

獻給自然的女兒　　　　　　　　　　71

為我們祝福，歡頌。

24，6，西湖ɔ

（七）

噩夢都已過去了，

只在不朽的歷史上，

留存着美麗的傳說。

一切,當牠在未來時,

或者在過去;都是美麗的.

唉,難有的是這美麗的現在!

我的生命是藝術,

我的現在是美麗的,

但當牠們過去時,

總成了噩夢,唉,噩夢,

雖然過去了,

也是美麗的傳說.

富於夢者貧於現實,

富於個人者貧於羣集.

一個永久的清晨來了,

不是屬於我,

而是屬於人人,

從修養而創作了一個世界。

這不是我個人的能力;

但是,唉,我的同行者,

你將去而復返嗎?

沒有疑懼,

沒有緘默,

我們總展開了這一卷奇蹟!

一卷至於無數卷,

奇蹟永遠是未完;

但是,要續作,

不作將中斷!

唉!我的同工者,

為什麼凝神不語呢?

| 74 | 獻給自然的女兒 |

我沒有悲哀，

便是在現在，

因此，樂園裏

我們最先來。

但是，我的同心者，

如何兩分開？

29，6，西湖。

（八）

沒有雨聲了，

也聽林浪濤濤，

縱然秋色清，

不語自蕭條。

一年一度夏天，

忽忽又今年，

莫問果兒消息，

有花未曾開放。

別處桂花滿枝，

這裏桂花含蕊，

她猶在含蕊，

不怕誤盡花期。

去年開花未歸來，

76　　　　　　　　　　　　獻給自然的女兒

今年開花費期待，

便到花開了，

人兒又何在？

　　　12，9，西湖。

獻給自然的女兒　　　　　　　　　77

（九）

戀愛別藏在心頭，

人別幽居小紅樓，

隨身挑在花籃裏，

四處儘遨遊。

行時把花兒散，

住時把歌兒唱，

相尋遍地球，

相遇回天上。

13，9，西湖。

78　　　　　　　　　　　獻給自然的女兒

（十）

日花山頭開，

情燄燃腺液，

靈思飛天外；

不作長虹雲裹耀光彩，

化作壁潮江上來。

『二十年來沒有這樣大，

是有潮神在。』

潮神在山頭，

潮水江上來，

江上來，

行得倦了，

行不到東海。

　　　　　　　13，9西湖ｅ

獻給自然的女兒　　　　　　　　79

（十一）

海風傳送來秋香，

說你曾把我尋訪，

我那時臥在海底，

你却尋到海上。

你的芳蹤幽渺，

我也無處尋找，

隨着那夢幻的中夏，

都從夢幻中飛掉。

到我從熱夢中醒來，

秋風已吹拂着塵埃，

反怕那富麗的情眼，

瞻盼這剩餘的形骸。

反怕那富麗的情吻，

80　　　　　　　　　　獻給自然的女兒

接吻着我的瘦腮，

你正是雲中月滿，

我只可雲過月來。

山中人兮將歸，

我知道她的行期，

可是那行前的一晚，

她停歇在那裏？

是這樣的人寰，

是這樣的流年：

青紅皂白不分，

父母妻子離散！

　　　　　　　　　18，10，西湖。

中華民國十七年一月初版

書　名　獻給自然的女兒

著　者　高　　長　　虹

發行者　趙　　南　　公

版權所有　　不許翻印

定　價　大洋三角五分

郵　費　外阜函購加一

發行所　泰東圖書局